Ajijic

BEHIND THE WALLS

DETRAS DE LAS PAREDES

MEXICO

by / por

ALISON PICKERING

This book is dedicated in loving memory to my wonderful parents Annette and Alexander Kyles who retired to Ajijic in 1975, and through whose eyes my love for Mexico evolved. To my husband Roger with love and gratitude. His loyal support and encouragement has allowed me to pursue my passion for photography and for Mexico. I offer this book as a fundraiser to The Lakeside School for the Deaf.

Dedico este libro con cariño a la memoria de mis maravillosos padres Annette y Alexander Kyles, quienes se retiraron a Ajijic, en 1975, a través de cuyos ojos creció mi amor por México. A mi esposo Roger con amor y gratitud, quien con su leal apoyo y estímulo me ha permitido seguir mi pasión por la fotografía y por México. Y por supuesto al Centro de Atención Múltiple Gallaudet a la cual ofrezco este libro, cuya venta ayudar a financiar sus proyectos.

www. alisonpickering.com/

Printed in Canada by Friesens
Altona, Manitoba
Impreso en Canadá por Friesens

Second Edition 2006
Segunda edición 2006
ISBN 10: 0-9739136-2-2
ISBN 13: 978-0-9739136-2-0

All pictures taken with a Canon EOS Rebel 6.3 mega pixel camera.

Todas las fotografías fueron tomadas con una cámara Canon EOS Rebel 6.3 mega pixel

Cover and book design / *Diseño de cubierta y del libro*:
Kyle Pickering

English editors / *Editores en inglés*:
Joan McIntyre, Jim Martens, Nicholas Rety

Spanish translator and editor / *Traductor y redactor en español*:
Bernard Schulz-Cruz

Technical support and design consultant /
Asistencia técnica y consultora de diseño:
Roswitha Hartenfels

Table of Contents

Sumario

The golden trumpet tree, or Primavera, is native to Mexico. Here it is seen in the streets of Ajijic in the glory of springtime. Its masses of dense trumpet-shaped flowers crowd the branches, a striking compliment to the yellow dome.
El dorado árbol trompeta, o primavera, es autóctono de México. Aqui se ve en una calle de Ajijic durante la gloriosa primavera. Sus copiosas flores en forma de trompeta abundan en sus ramas, complementándose con la cúpula amarilla.

Foreword

Twenty-eight years ago when my parents retired to Ajijic my love affair with this village was born. Walking along the cobblestone streets, laid during the days of Spanish rule, I felt excluded by the looming walls surrounding the houses. Yet, when I gazed upwards at the bougainvillea cascading over the colourful walls I felt a thrill while imagining what visual delights might exist behind them.

Occasionally I was rewarded with a glimpse inside when a hand-carved wooden door was left ajar. These doors and gates of Ajijic are portals into wonderful worlds, each one unique. I began to embrace the feeling of enclosure and security the walls afforded and the sanctuary from the outside world they gave to the families within. These walls hold mysteries of a village's charm.

This book offers a glimpse behind the walls of Ajijic into the life of its people and their relationship to colour, gardens, design, decor, and architecture. Daily life vibrates where the brilliant sun sets over the lake, and native women weave their colourful textiles beneath the trees that shelter them. Exotic fruits and vegetables beckon in the market, the blossoming trees and flowers pulse with colour, and the Jalisco folkloric dancer whirls. May this book delight your visual senses and inspire you to share my enchantment with these colourful homes.

Prólogo

Hace veintiocho años, cuando mis padres se jubilaron en Ajijic, me embarqué en una aventura que me hizo descubrir México. Al principio, me sentía excluida por los muros que rodeaban las casas. Pero cuando comencé a caminar por las coloniales calles empedradas y miraba a lo alto, de donde descendían las fascinantes cascadas de bugambilias sobre los muros multicolores, pude entonces imaginar las maravillas que se escondían tras ellos. De vez en cuando me veía recompensada cuando una puerta de madera tallada a mano quedaba entreabierta y me permitía echar una ojeada. Estas puertas y portales de Ajijic son el umbral a mundos asombrosos y únicos. Fue entonces cuando comencé a adentrarme en la seguridad y privacidad que el recinto cerrado y aquellas paredes les ofrecen a las familias en su sagrado interior. Fue aquella gran diferencia la que me hizo sentir que esas paredes contribuían al encanto del pueblo.

Este libro ofrece una mirada detrás de las paredes de Ajijic, la vida de sus gentes y su relación con los colores, jardines, diseños, decoración, y arquitectura. La vida diaria late en la puesta de sol sobre el lago, en las mujeres indígenas tejiendo sus telas de colores bajo la sombra de los árboles que las protegen. En el mercado relucen las exóticas frutas y verduras, los bellos árboles y las flores vibran con sus colores, y la falda de la bailarina de Jalisco se mueve como un remolino.
Espero que con este libro usted goce con sus sentidos visuales y que se inspire para compartir conmigo el encanto de las coloridas casas.

Ajijic, Jalisco

Ajijic is a village of 13,000 nestled on the shores of Lake Chapala. It was originally founded in the 14th century by the Indigenous peoples of the Cocas tribe as one of four villages built around their settlement in Cutzalán (San Juan Cosalá). Lake Chapala, Mexico's largest lake, supported agriculture, provided ease of transportation, and offered a moderating influence on the climate. When the Spanish Captain Alonso de Avalos arrived in 1523 he found the Cocas living along the shores of the Lake. Under Spanish rule, almost all the land that is now Ajijic was given to Saenz, cousin to Hernán Cortés. The hills surrounding the Saenz Hacienda were planted with coffee and mescal (used to make tequila) destined for Spain. For 300 years, Spanish colonization pervaded the very fabric of Indigenous life.

From the early 1900's to the 1950's foreigners including artists and travelers began moving to Ajijic. They were attracted by the climate, the isolation, and the low cost of living. These early residents along with the native community laid the foundation for a relationship of tolerance and mutual respect. Immigration to the area increased in the mid 1950's when the paved highway joining Chapala and Guadalajara was built. The carretera was also built at this time opening the Lakeside area to vehicles. Soon after, families from Guadalajara began building homes for weekends spent living on the lake.

In spite of the passage of time, the clip clop of horses hooves are still heard on the cobblestone streets. Older women wearing shawls sell confetti- filled eggs in the plaza and ladies sweep away the dust on narrow sidewalks in front of their homes. They no longer wash their clothes on flat rocks by the lake, nor do fishermen dry their nets along the shore. Instead foreigners and locals frequent the local outdoor market. Fireworks mark many celebrations day and night, while parades ramble through the streets, and everyone congregates in the center plaza. Special events include the Easter Passion play, the Day of the Dead, the Christmas Posadas, and the International Chili Cook-off. The village is rich with its weaving, glass, metal, embroidery, pottery, furniture making, and Huichol bead and yarn art. Ajijic is home to a vibrant and artistic international community with all the charm of a traditional Mexican village.

An indigenous woman wearing local costume
Mujer indígena con su atuendo original.

Gourds on the street
Los guabes para decoración se venden en la calle.

Weaving loom
Telar

Ajijic, Jalisco

Ladies washing clothes
Mujeres lavando ropa

Children perform the "Dance of the Elders"
Niños representando el baile de los viejitos

The Virgin de Santiago Chapel is decorated with papel picado, cut out paper used for festivities.
La capilla se encuentra decorada con papel picado.

Agave plant
Agave azul

Confetti- filled eggs
Huevos rellenos de confeti

Ajijic es un pueblo de aproximadamente 13.000 habitantes anidado a orillas del Lago Chapala. El pueblo fue fundado en el siglo XIV y era una de las cuatro aldeas alrededor de su territorio, Cutzalán (San Juan Cosalá). El Lago Chapala, el lago más grande de México, beneficiaba a la agricultura, facilitaba el transporte y ofrecía una moderada influencia en el clima.

Cuando el conquistador Alonso de Avalos llegó en 1523 encontró a los Cocas viviendo junto a lago. La Corona le cedió casi toda la tierra de Ajijic a Saenz, primo de Hernán Cortés. Las colinas que rodeaban la hacienda de Saenz fueron cultivadas con plantas de café y mezcal, que a su vez eran embarcados a España. La colonización española se introdujo en las raíces de la vida indígena durante los siguientes 300 años.

A principios del siglo XX emigrantes extranjeros, incluyendo artistas e intelectuales, fueron atraídos por el clima, la tranquilidad y el bajo costo de vida. Estos tempranos residentes y la comunidad nativa sentaron las bases para una relación de tolerancia y respeto mutuo. La inmigración se incrementó a mediados de los años 50 cuando se pavimentó la carretera entre Guadalajara y el Lago Chapala, lo que facilitó el acceso vehícular alrededor del lago. Muy pronto, las familias de Guadalajara comenzaron a construir casas para pasar el fin de semana en el lago.

A pesar del paso del tiempo, aún se escucha el sonido de los cascos de los caballos por las calles empedradas, se ven señoras mayores llevando sus típicos rebozos, vendiendo en la plaza huevos rellenos de confeti. Se ven mujeres barriendo las angostas banquetas frente a sus casas. Sin embargo, ya no se les ve más lavando sus ropas en las piedras a la orilla del lago, ni a los pescadores secando sus redes en la playa. Hoy en día, gente local y extranjera frecuenta el tianguis al aire libre. En las celebraciones tanto de día como de noche se puede disfrutar de los castillos y fuegos artificiales. En la plaza central se congregan los desfiles que hacen su recorrido por las calles. Eventos especiales incluyen el Internacional Chilli Cook Off, las Fiestas de Pascua, el Día de Muertos en noviembre y las Posadas Navideñas. El pueblo es rico en artesanía de tejidos y bordados de hilo y cuentas huicholes, y en trabajos de vidrio, metal, cerámica y fabricación de muebles. Aunque hoy en día Ajijic alberga a una vibrante y artística comunidad internacional mantiene su encanto mexicano tradicional.

Entrances

Entradas

Right: Bands of pebbles define space around the tree adding texture to the saltillo tiles. A metal monkey playfully climbs its branches.

Derecha: Piedrecillas definen el espacio alrededor del árbol añadiendo textura al piso de saltillo. Un mono de metal sube juguetonamente por sus ramas.

Through the gates (left) and against the wall rests this handsome armoire and hand built pots (below).

Al abrir el sahuán de herrería (izquierda) se encuentra uno con un hermoso armario y unos bellos cántaros (abajo).

Giving depth to the entry way, the open doorway exposes a mural on the left inside wall painted by Víctor Romero.

La puerta abierta nos deja observar en la pared a la izquierda una perspectiva del mural de una calle, pintado por Víctor Romero, dando un sentido de profundidad.

Top: This 200 year old home has its own private church with a bell tower.
Left: The mural between the cypress trees was painted by Efrén González.

Arriba: *Esta casa de 200 años tiene su propia capilla con campanario.*
Izquierda: *El mural que se encuentra entre los dos cipreses fue pintado por Efrén González.*

The brilliant pink chimney suggests a feeling of tranquility.

El brillante rosa mexicano de esta chimenea da la sensación de tranquilidad.

Staircases

Escaleras

The glass ball and discs add colour and playfulness to the circular motif iron balustrade.

El barandal de hierro forjado lleva motivos de vidrio que le dan ritmo y color.

The shafts of light dramatically illuminate the staircase from the skylight above.

El tragaluz de la escalera crea una dramática iluminación.

This graceful stairway blends wrought iron, ceramic tiles, cement steps and multi-toned adobe walls.
Esta magnífica escalera combina el hierro forjado, azulejos y peldaños de cemento con los muros de adobe colorido.

Living Rooms

Estancias

Carved a century ago, the cantera stone enhances the fireplace and doorways of this home.
Las piedras de cantera, talladas en el siglo pasado, realzan la chimenea y los marcos de las puertas.

Petate, a mat of interwoven rushes, often palm, is used as a decorative ceiling liner above the beams.

El cielo de la casa se encuentra decorado por un entretejido de petate.

The pre-Hispanic face on the brick wall of this entrance to the Swan Inn was painted by Don Niederlitz.

Esta cara prehispánica que se encuentra a la entrada del hotel Swan Inn fue pintada por Don Niederlitz.

Fireplaces

Chimeneas

A bronze sculpture affixed to the mirror gives the illusion that it is floating.
La escultura en bronce incrustada en el espejo sobre la chimenea nos da la ilusión de que está flotando.

Ginger Jars in the traditional blue and white folded napkin pattern, from Puebla, adorn the fireplace mantle.

Los jarrones de talavera, en su tradicional azul y blanco, con un diseño de servilletas dobladas adornan la repisa de la chimenea.

Decorative folkloric elements such as the green glazed candelabras from Michoacán, a framed figure of Frida Kahlo, and clay skeletons climbing a candle from Guanajuato, enhance the charm of this fireplace.

Muestras de artesanía típica como los candelabros de Michoacán, el cuadro de Frida Kahlo, y los esqueletos subiendo una columna de Guanajuato, aumentan el encanto de esta chimenea.

The mural by Romy

Chimney designed by Enrique Velázquez
Chimenea diseñada por Enrique Velázquez

The fireplace with its side scroll and mantle as well as the fireplace on the left were designed by Architect Mauricio Vásquez and built by Eugene Fortún.

Esta chimenea con sus remates decorados al igual que el diseño de la izquierda fue diseñada por el arquitecto Mauricio Vásquez y construida por Eugene Fortún.

Kitchens and Dining

Cocinas y Comedores

The kitchens are mostly tiled providing visual pleasure and inviting culinary creativity.
La mayoría de las cocinas tienen azulejos. Lo que crea un efecto visual agradable que invita a la creatividad culinaria.

Bottom right:
Coconut shells from Guerrero are painted into comical faces. Wall mounted stove hood is clad with Mexican tiles adding sculpture to the room.

Abajo a la derecha: *Máscaras de coco de Guerrero con sus cómicas expresiones. La campana con azulejos agrega al cuarto un elemento escultórico.*

Artist: Eugene Fortún
Design: Maryanne and Bill Shuttles

Decorative ceramic plates are set into the back splash in combination with the tile. Paper mache chilies are a typical decoration in a Mexican kitchen.

El detalle especial de los diferentes platos de talavera sobre los azulejos en la pared le dan un toque único. Los platos decorativos combinan con los azulejos.

Bar stools and bar painted by Noé Hedzor.
Los motivos de la barra y los taburetes fueron pintados por Noé Hedzor.

Color Selector

This kitchen shows the traditional blue and white tile in a modern design.

Esta cocina muestra el tradicional azulejo azul y blanco con un diseño moderno.

A star motif is seen on the arched windows opening onto the loggia. A silk runner from Morocco lines the brass table.

El arco de los ventanales que abren el patio llevan un diseño de estrella. Sobre la mesa de latón hay un tapete de seda de Moroco.

Carved, painted sideboard from Pátzcuaro, Michoacán.

Bufete pintado y tallado a mano de Pátzcuaro, Michoacán.

Bedrooms

Recámaras

The armoire is painted with a landscape of the Sierra Madre mountains.

Este armario tiene pintado el paisaje de la Sierra Madre.

The headboard and bureau of this room incorporates a village design.

La cabecera y el tocador de esta recámara juegan con el diseño del pueblito.

This peaceful bedroom includes a *bóveda* brick ceiling, a wrought iron bed frame and arched window rod.

Los tabiques de la bóveda, la cama de hierro y el arco de la ventana contribuyen a la tranquilidad de la recámara.

Bathrooms

Baños

Artist: Efrén González

The mural is painted with such exquisite detail that the natural plants in front bring the mural to life. It extends over the window to create privacy and continue the flow.

El mural es tan detalladamente exquisito que las plantas naturales le dan vida. Se extiende sobre la ventana dando privacidad y continuidad.

Perforated tin is popular in Mexico. It is often used on mirrors, sconces and lanterns. A pewter sink adds to the combination.

El popular latón labrado se usa frecuentemente para espejos, linternas y faroles. Un lavabo de peltre acentúa esta combinación.

Artist: Dionicio Morales López

Artist: Sergio Aimer

The two showers are Moorish in style with glass and metal star lights typical of San Miguel de Allende. Above, the tile framed mirror is set into the wall and a curved scroll that is reflected in the mirror enhances the half wall of the shower.

Estas dos regaderas de azulejo con influencia morisca están rematadas por lámparas en forma de estrella típicas de San Miguel de Allende. Arriba, el espejo con marco de azulejo adosado a la pared refleja el remate del murete de esta regadera.

Pools

Albercas

Designer: Daphine Aluta

The stone sculpture by the pool steps depicts two children with a dog in a boat, a folkloric piece that symbolizes love and protection.

La escultura junto a la alberca representa a dos niños con un perro en un bote, que simbolizan amor y protección.

Cantera stone carved chairs and table by the pool are replicas of equipal-style chairs, based on designs from Jalisco. Tiled marine life at the bottom of the pool is shown in the detail of the turtle.

Las sillas y la mesa de cántera junto a la alberca son réplicas de diseños de equipales típicos de Jalisco. La vida marina en mosaico al fondo de la alberca se puede apreciar en el detalle de la tortuga.

These perforated tin lanterns by the edge of the pool dramatically illuminate the area for evening entertaining.
Right: The African Tulip Tree is seen at the far end of the pool.

Estas linternas de latón junto a la alberca iluminan la diversión nocturna.
Derecha: *Un árbol de tulipán africano se observa al fondo de la alberca.*

At the bottom of this outdoor pool is an image of the Virgin of Guadalupe.

En el fondo de la alberca se transluce la imagen de la Virgen de Guadalupe.

A *palapa* at the pool's edge houses a kitchen-bar. The wooden posts come from the Pacific coast.

Esta palapa junto a la alberca tiene una cocina-bar. Los postes que le dan soporte vienen de la costa del Pacífico.

Outside Rooms

Salones Exteriores

Hotel Casa Blanca's *pináculos* or diamond cutouts allow light to enter the open room. An adobe wall beside the fountain is chinked with small pieces of tile. Painting on wall is by Cathy Chalvignac.

En el Hotel Casa Blanca los tragaluces en forma triangular permiten filtrar la luz en el salón. La pared de adobe junto a la fuente está decorada con mosaicos. El cuadro es de Cathy Chalvignac.

This *palapa* shows basket lamps made in Ajijic. A mural on the back wall is fronted with flowers and vegetation.

Esta palapa tiene lámparas hechas en Ajijic. Al fondo, el mural se encuentra complementado por la vegetación y las flores.

The metal lamps in the form of agave plants illuminate this space at night.

Las lámparas de hierro en forma de plantas de ágave iluminan en la noche.

The Cup of Gold vine climbs up the wall of this charming enclosed courtyard.

La copa de oro trepa por las paredes de este encantador patio interior.

A Moroccan mirror inlaid with camel bone is the focal point of this loggia.

En este pórtico el punto focal es un espejo marroquí decorado con hueso de camello.

Gardens

Jardines

Pedro's Gourmet Restaurant courtyard
El patio del restaurante Pedro's Gourmet

The glass blocks and tile work add to the bright colours and geometric designs on this patio wall.

En esta pared de un patio, los bloques de vidrio y los azulejos se suman a los brillantes colores y diseños geométricos.

This is one of the first gardens on the lake to be created by a foreign settler.
Mount Garcia is viewed on the opposite side of the lake.

Este es uno de los primeros jardines a la orilla del lago, creado por uno de los primeros residentes extranjeros.
El cerro García se observa en la orilla sur del lago.

Colourful domes or *cúpulas* stand against the rounded gentle Sierra Madre Mountains. Water cascades from the metal vessels into the pond to create a soothing waterscape.

Las coloridas cúpulas contrastan con los ondulantes cerros de la Sierra Madre. El agua fluye de las vasijas metálicas creando una sensación de calma.

Flowers carved in cantara stone lean against a palm trunk adding a surprise feature to this garden.

En este jardín las flores de cántara sobre la base de una palmera sorprenden entre la vegetación natural.

Fountains and Downspouts

Fuentes y Desagües

Fountain / Fuente: Estela Hidalgo

Skylights and Domes

Tragaluces y Cúpulas

Right: The mural, painted by Cathy Chalvignac, accentuates the dome.
Derecha: El mural, pintado por Cathy Chalvignac, acentúa la bóveda.

Ceiling painted by Efrén González at the Hotel Real de Chapala
En el Hotel Real de Chapala el cielo fue pintado por Efrén González

26

This is the interior of the tiled dome to the left.
Esta es la bóveda de la cúpula de azulejos a la izquierda.

Murals

Murales

These murals are in the interior of garages.

Murales en el interior de los garages.

This street corner shrine was painted by Bruno Mariscal. It represents the Virgin of Guadalupe, Mother of Mexico. She safeguards the well being of local families.

Este altar en la esquina de una calle fue pintado por Bruno Mariscal. Representa a la Virgen de Guadalupe, patrona de la familias locales.

Artist: Jesús López Vega

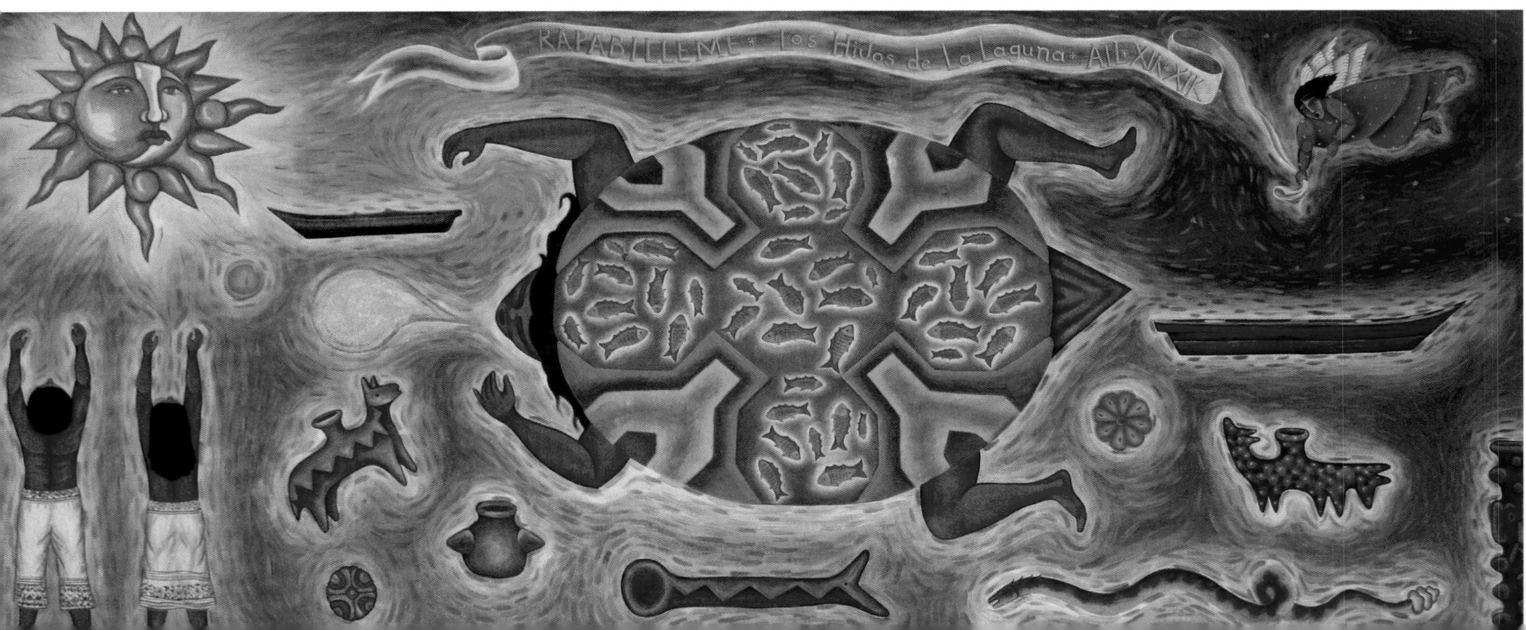

Murals in school
Centro Escolar
Marcos Castellanos

Murales en el Centro Escolar
Marcos Castellanos

Artist : Efrén González

Artist : Efrén González

Artist: José Francisco Rojas Miramontes y Francisco José Pérez

Artist: Jesús López Vega

Artist: José Francisco Rojas Miramontes y Francisco José Pérez

Local history says that the Coca Tribe poured their own blood into small clay figurines, which they made, and tossed into the lake each spring before the planting season as offerings to their lake god. Today, fishing nets bring up these pre-conquest artifacts from the lake bottom. The mural shows a passage of their history.

Cada primavera 'los Cocas', al inicio de su siembra, arrojaban al lago figurines hechos por ellos impregnados de su propia sangre para venerar al dios del lago. Hoy en día las redes de los pescadores rescatan y suben a la superficie estos artefactos. El mural representa un pasaje de su historia.

The element of chance, that capricious instrument of fate which now and then toys with our plans, sometimes leads us by the hand to destinations which it was not our intention to reach. It then withdraws and silently observes what we can make out of its gift: a situation, an opportunity, a challenge not of our own making.

Lakeside School for the Deaf

The Lakeside School for the Deaf was founded in 1976 by Jackie Hartley and Roma Jones. These two Canadian teachers chanced upon the Lake Chapala area after losing their way while driving through Mexico. They decided to rent a home in Jocotopec where they met a young boy named Rogelio. After learning he was deaf and not attending school Hartley and Jones approached his parents and offered to teach him.

News soon spread that two Canadians were teaching deaf children. With funds raised by the teachers an abandoned chicken coop was turned into a classroom and sign language books were brought from the United States. By 1980 the Lakeside School for the Deaf had nine students and a primary school teacher named Dolores "Lola" Salamanca. The school continued to expand with Jackie's recruitment of two young teachers of deaf children, Gwen Chan and Susan van Gurp from the University of British Columbia.

One of the school's greatest benefactors, Norine Rose, became involved after being profoundly moved by a Christmas pageant put on by the students. As President of the school she was the Lakeside's most successful and dynamic fundraiser. With grants she obtained from the Canadian Department of External Affairs a new three-room school house and basketball court was built. In search of further funds Norine arranged benefit dinners and organized weekly tours of the fine homes in nearby Ajijic. These tours continue to provide support for the school, affording a glimpse BEHIND THE WALLS.

Another enthusiastic supporter of the school was Bishop Croteau who heard about the school in 1992 while visiting from his Diocese in the Northwest Territories. He arranged to send two volunteers from Calgary to help teach at the school. Marie Pruden taught horticulture to the children and Wendy Hill taught art and jewelry design.

Today the school also teaches children with other disabilities and the Jalisco state government funds four specially trained Mexican teachers. However, the school still depends on donations for the services of an audiologist, speech therapist and psychologist as well as expenses for medical treatments, teaching aids, supplies, transportation and room and board.

The net proceeds of this book will be donated to help support the good work of the Lakeside School for the Deaf.

El azar, ese elemento caprichoso del destino que de cuando en cuando juguete con nuestros planes, nos lleva de la mano a lugares que jamás tuvimos intención de alcanzar. Luego se retira y observa silenciosamente lo que podemos hacer con su obsequio: una situación, una oportunidad, un desafío, para nada de nuestra propia invención.

Centro de Atención Múltiple Gallaudet

El Centro de Atención Múltiple Gallaudet fue fundado en 1976 por dos mujeres canadienses; Jackie Hartley y Roma Jones. Estas dos maestras llegaron al área del Lago de Chapala accidentalmente cuando recorrían México. Alquilaron una casa en Jocotepec, donde conocieron a un niño llamado Rogelio. Al enterarse de que era sordo y no podía asistir a la escuela, Jackie y Roma hablaron con los padres de éste y se ofrecieron para enseñarle.

Pronto se corrió la noticia de que dos canadienses enseñaban a niños sordos. Con dinero recolectado por las dos maestras un gallinero abandonado se transformó en una sala de clases y se consiguieron libros de los Estados Unidos para la lengua signada. En 1980 el Centro de Atención Múltiple Gallaudet tenía nueve estudiantes y una maestra de primaria llamada Dolores "Lola" Salamanca. La escuela continuó creciendo, Jackie contrató a dos entusiastas jóvenes maestras para sordos de la Universidad de la Columbia Británica, Gwen Chan y Susan Van Gurp.

Una de las grandes benefactoras de la escuela, Norine Rose se vio profundamente conmovida por la actuación de los estudiantes cuando asistió a una posada navideña. Como presidenta de la escuela ella fue la más exitosa y dinámica recolectora de fondos. Obtuvo fondos de beneficencia del Departamento de Relaciones Exteriores de Canadá para construir una nueva escuela con tres salones de clase y cancha de baloncesto. Para juntar más dinero ella promovió cenas y organizó las visitas semanales a las suntuosas casas de Ajijic, las cuales continúan proveyendo apoyo monetario para el Centro, y permitiendo echar un vistazo DETRAS DE LAS PAREDES.

Otro colaborador fue el obispo Croteau, quien durante una misión de caridad en 1992 de la Diócesis de los Territorios del Noroeste de Canadá, se enteró acerca de este proyecto e hizo los arreglos necesarios para mandar a dos maestras voluntarias de Calgary. Marie Pruden les enseñó a los niños horticultora, y Wendy Hill les enseñó joyería.

Hoy el Centro incluye a niños con otras incapacidades y el Gobierno del Estado de Jalisco provee con cuatro maestros mexicanos especializados. Sin embargo, el audiólogo, el terapeuta de habla, el psicólogo, los ayudantes, el transporte, los útiles escolares, los audífonos, la comida, el alojamiento, y los honorarios de los doctores dependen únicamente de las donaciones.

El producto de las ventas de este libro será donado en apoyo al buen trabajo que realiza el Centro de Atención Múltiple Gallaudet.

Acknowledgements

Thank you to all the wonderful people of Ajijic who graciously allowed me Behind the Walls to share this book with you. I would also like to thank the following people for their help and encouragement: Ignacio Alverez, Marianne Alverez, Bernard Schulz-Cruz, Cecilia and Alan Cogan, Roswitha Hartenfels, Jim Martens, Bruno Mariscal, Leslie Martin, Joan McIntyre, Judi McIntosh, Marilyn Miller, Nicholas Rety, Norine Rose, Sue and Wally Steinke, Jennifer Pickering, and Kyle Pickering.

Agradecimientos

Gracias a toda la gente maravillosa de Ajijic que permitió compartir Detrás de las Paredes con usted. Gracias por su ayuda y estímulo a : Ignacio Alverez, Marianne Alverez, Bernard Schulz-Cruz, Cecilia y Alan Cogan, Roswitha Hartenfels, Jim Martens, Bruno Mariscal, Leslie Martin, Joan McIntyre, Judi McIntosh, Marilyn Miller, Nicholas Rety, Norine Rose, Sue y Wally Steinke, Jennifer Pickering, y Kyle Pickering.